CHASE IS ON THE CASE!

CHASE EST SUR LE COUP !

Ryder sees a problem at the lighthouse.

Ryder voit un problème au phare.

The light is out.
Without it, ships could
crash into Seal Island!

La lumière est éteinte.
Sans elle, des bateaux
pourraient heurter
l'Île aux phoques !

Captain Turbot calls Ryder for help. He cannot find the lighthouse.

Capitaine Turbot appelle Ryder à l'aide. Il n'arrive pas à trouver le phare.

Captain Turbot is lost in the fog!

Le Capitaine Turbot est perdu dans la brume !

PAW Patrol is
ready for action!

Pat' Patrouille au
complet, chef !

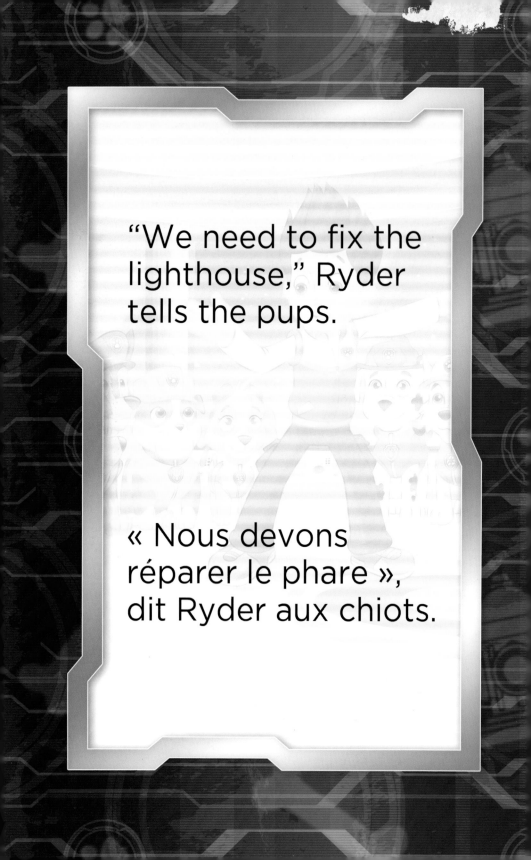

"We need to fix the lighthouse," Ryder tells the pups.

« Nous devons réparer le phare », dit Ryder aux chiots.

"Chase, I need
your searchlight,"
says Ryder.

« Chase, j'ai besoin
de tes projecteurs »,
dit Ryder.

"We will need Zuma's hovercraft, too," added Ryder.

« Nous aurons aussi besoin de l'aéroglisseur de Zuma », ajoute Ryder.

Ryder, Zuma, and Chase
race to Seal Island.

Ryder, Zuma et Chase filent
vers l'Île aux phoques.

"We have to fix that light," says Ryder.

« Nous devons réparer cette lumière », dit Ryder.

Wally the walrus
is in the way!
"He wants a treat,"
says Ryder.

Wally le morse leur
barre la route ! « Il
veut une friandise »,
dit Ryder.

He throws a treat.
"Catch, Wally!"
Wally gulps it down.

Il lance un biscuit. « Attrape, Wally ! » Wally n'en fait qu'une bouchée.

Ryder, Zuma and Chase reach Seal Island. A big ship is coming!

Ryder, Zuma et Chase atteignent l'Île aux phoques. Un grand navire approche !

Chase is on the case! He will warn the ship.

Chase est sur le coup ! Il va avertir le navire.

The lighthouse door is locked! Chase shoots out his net.

La porte du phare est verrouillée ! Chase lance son filet.

Ryder climbs up the net. Now he can go through the window and unlock the door.

Ryder escalade le filet. Maintenant, il peut passer par la fenêtre et déverrouiller la porte.

Chase is in!
He turns on
his searchlight.

Chase est
entré ! Il allume
son projecteur.

Le gros navire aperçoit le projecteur de Chase. Il se détourne des rochers. Le bateau est sain et sauf !

The big ship sees Chase's light.
It turns away from the rocks.
The ship is safe!

Captain Turbot follows Chase's light. He takes a new bulb to the lighthouse.

Capitaine Turbot suit le projecteur de Chase. Il apporte une nouvelle ampoule dans le phare.

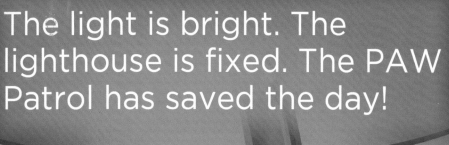

The light is bright. The lighthouse is fixed. The PAW Patrol has saved the day!

La lumière brille. Le phare est réparé. La Pat' Patrouille a sauvé la situation !

"Whenever you are in trouble, just yelp for help!" Ryder says.

« Si vous avez besoin d'aide, alors appelez la Pat' Patrouille ! » dit Ryder.